Les cadeaux de Noël d'Elliot

Pour Barbara Julie

Catalogage avant publication de la Bibliothèque nationale du Canada

Beck, Andrea, 1956-
[Elliot's Christmas surprise. Français]
 Les cadeaux de Noël d'Elliot / texte et illustrations de Andrea Beck ;
texte français de Christiane Duchesne.

(Une aventure d'Elliot)
Traduction de: Elliot's Christmas surprise.
ISBN 0-439-97515-8

I. Duchesne, Christiane, 1949- II. Titre. III. Titre: Elliot's Christmas surprise. Français.
IV. Collection: Beck, Andrea, 1956- Une aventure d'Elliot.

PS8553.E2948E44614 2003   jC813'.54   C2003-902400-8
PZ23

Les illustrations de ce livre ont été réalisées aux crayons de couleur.

La police de caractère utilisée est Minion.

Édition publiée par Les éditions Scholastic, 175 Hillmount Road,
Markham (Ontario) L6C 1Z7, avec la permission de Kids Can Press Ltd.

5 4 3 2 1   Imprimé à Hong-Kong, Chine   03 04 05 06

Les cadeaux de Noël d'Elliot

Texte et illustrations de
ANDREA BECK

Texte français de Christiane Duchesne

Les éditions Scholastic

Elliot est en train de rêver au père Noël et au pôle Nord quand un léger bruit le tire de son sommeil. Il ouvre les yeux et sourit jusqu'aux oreilles.

— C'est la veille de Noël! lance-t-il. Le père Noël va passer ce soir!

Puis il aperçoit quelque chose d'extraordinaire.

Là, juste au pied de son lit, il y a une énorme boîte rouge. Elliot bat des paupières. La boîte est du même rouge que le costume du père Noël.

— Le père Noël est passé plus tôt! crie-t-il en sautant de son lit. C'est une livraison spéciale parce que j'ai été vraiment sage cette année!

Elliot se précipite à la porte et jette un coup d'œil dans le corridor. Qu'est-ce que le père Noël a laissé pour Bab?

Son sourire disparaît.

Le père Noël n'a rien laissé pour elle.

Elliot est impatient d'ouvrir sa boîte, mais il ne veut pas que Bab soit oubliée.

— Il lui faut une livraison spéciale aussi! décide Elliot. Comme ça, nous pourrons ouvrir nos cadeaux ensemble.

Même s'il a déjà préparé un cadeau pour Bab, Elliot lui fait un dessin et l'encadre soigneusement. Il l'emballe, l'attache avec un bout de laine et le dépose à côté de sa boîte.

Juste au moment d'appeler Bab, Elliot pense à Nourse. Lui non plus ne doit pas être oublié.

Comme il aime les jeux, Elliot lui fabrique un échiquier rigolo, l'emballe, orne le paquet d'une jolie boucle et le dépose à côté de sa boîte.

Juste au moment d'appeler Bab et Nourse, Elliot pense à Mouflette. Il grogne. S'il fait un cadeau de plus pour Mouflette, il devra en faire un pour Angèle. Et aussi pour Floc, Pouf, Castorus et Lionel!

Les livraisons spéciales du père Noël, ça fait beaucoup de travail.

Elliot s'habille. Puis il s'installe pour faire des ailes de fée pour Floc, des antennes de moustique pour Pouf, un collier en macaroni pour Mouflette, une affiche pour Lionel, un coffret à recettes pour Castorus et un garage à camions pour Angèle.

Lorsqu'il a terminé ses cadeaux, Elliot les emballe, les attache avec de la laine et les dépose à côté de sa boîte.

Il court vers l'escalier et crie du plus fort qu'il peut :

— Bab! Nourse! Tout le monde! Venez, j'ai une surprise pour vous!

Courant et sautillant, il revient à sa boîte.

Qu'est-ce que le père Noël a bien pu lui apporter? Un train? Une piste de course? C'est un gros cadeau, ça, c'est sûr.

Elliot ne peut plus attendre.

Il soulève le couvercle un tout petit peu et regarde dans la boîte.

Il ne voit rien. Il glisse une patte à l'intérieur. Puis il se penche et y passe la tête. Enfin, il fait sauter le couvercle et renverse la boîte.

— Où est mon cadeau? se lamente-t-il.

La boîte du père Noël est vide!

À ce moment, Elliot aperçoit une lettre sur
le plancher.

Il lit :

> *Cher Elliot,*
> *Je sais que tu adores fabriquer*
> *des choses.*
> *J'ai pensé que tu aurais beaucoup*
> *de plaisir à transformer cette boîte*
> *en attendant Noël.*
> *Ton ami,*
> *Lionel*

Elliot laisse tomber la lettre. Ce n'était pas une
livraison spéciale du père Noël.
Seulement une vieille boîte que Lionel a trouvée.

Elliot, déçu, s'assoit par terre.

Le père Noël n'a donc pas jugé qu'il avait été vraiment sage cette année.

Et maintenant, tout le monde va avoir un cadeau, sauf lui!

Elliot retient ses larmes. À cet instant, Bab entre en courant.

— Des cadeaux! lance-t-elle joyeusement. Avant Noël?

— Oui, marmonne Elliot. Une livraison spéciale… de ma part.

Bab déballe vite son cadeau.

— Oh, Elliot! crie-t-elle. Je l'adore! Merci!

Elle serre Elliot très fort dans ses bras, et quelque chose d'étonnant se produit alors.

Elliot se redresse. Il ne peut pas s'empêcher de sourire.

Bab aime son cadeau!

Elle l'adore!

— Tout le plaisir est pour moi, dit Elliot avec un petit frisson de bonheur.

L'un après l'autre, les amis d'Elliot ouvrent leur cadeau. Et chaque fois que l'un d'eux le remercie, chaque fois que l'un d'eux le serre dans ses bras, Elliot ressent le même petit frisson de bonheur.

Lorsque tous les cadeaux ont été ouverts, Bab demande ce qu'il y a dans la grosse boîte.

— C'était ma surprise à moi, de la part de Lionel, dit Elliot.

— Chanceux! fait Pouf. Comme j'aimerais avoir une boîte comme ça!

Elliot sourit.

« C'est vrai, pense-t-il, les grosses boîtes ne sont pas faciles à trouver. Et celle-ci est énorme. C'est tout un cadeau, un très beau cadeau. »

Elliot se rappelle une chose très importante : il remercie Lionel et le serre très fort dans ses bras.

— Qui veut fabriquer un traîneau comme celui du père Noël? crie Elliot.

— Moi! Moi! Moi! crient tous ses amis.

Ils trouvent des rubans pour faire les rênes, des branches pour les patins, des oreillers pour les sièges! Ils découpent, dessinent, décorent, et bientôt, la boîte se transforme en un splendide traîneau.

Tout l'après-midi, Elliot et ses amis se promènent à travers la maison en riant et en chantant.

Ce soir-là, Elliot, Bab et leurs amis accrochent
leurs bas de Noël et courent vite se coucher. C'est
la veille de Noël, et le père Noël est en route!